# 나를 성장시키는 명언 300

**나를 성장시키는 명언 300**

**발 행** | 2024년 01월 15일
**저 자** | 권민석
**펴낸이** | 한건희
**펴낸곳** | 주식회사 부크크
**출판사등록** | 2014.07.15.(제2014-16호)
**주 소** | 서울특별시 금천구 가산디지털1로 119 SK트윈타워 A동 305호
**전 화** | 1670-8316
**이메일** | info@bookk.co.kr

**ISBN** | 979-11-410-6643-7

**www.bookk.co.kr**

# 나를 성장시키는
# 명언 300

## [머리말]

세상을 살아가면서 말 한마디에 많은 힘을 받을 때가 있다. 그렇게 힘을 주는 말들은 일시적이지 않고, 긴 인생에 영향을 주기도 한다. 우리는 이런 말들을 '명언'이라고 지칭한다. 명언은 시대를 넘나들어 우리의 삶에 선한 자극을 준다. 동서고금을 넘어서는 명언들은 계속 후손에게 전수 해오고 있다.

이 책은 명언을 모은 책이다. 여기 실린 명언들이 여러분의 삶에 선한 영향을 미치기를 기원한다.

자택에서 권민석

## [가이드]

명언 모음집인 이 책은 활용하기에 따라 독자 여러분에게 미치는 영향의 범위는 다르다. 명언 한마디로 사람의 인생이 달라질 수 있으므로, 300개의 명언을 숙지하는 것보다 1개의 명언이라도 제대로 감명받아 본인의 삶이 달라지는 것이 더욱 이 책의 목적에 부합한다. 또한 부록으로 실린 명언 실천서나 메모장을 잘 활용하기를 당부한다.

# [일러두기]

1. 책을 읽다가 자칫 지루해질 수 있는 독자를 위해 중간에 재미있는 유머 글도 실었으니 참조 바란다.

2. 부록에 있는 명언 실천서나 메모장은 명언을 읽는 독자들이 본 도서를 본인에 맞게 활용하는 데 도움을 주고자 수록하였다. 사용법도 자신만의 방법으로 활용하자.

3. 명언집은 꼭 처음부터 순서대로 읽을 필요가 없음을 명심하자. 완독보다는 필요한 명언을 기억하여 부록을 통해 본인의 삶에 선한 영향력이 될 수 있도록 적용하는 데 목표를 두자.

# [목차]

강한자가 살아남는 것이 아니라, 살아남는
자가 강한 것이다. - 김유신 장군

# 나를 성장시키는
# 명언 300

웃을 수 있을 때 언제든 웃어라. 공짜 보약이다. - 바이런

# 1. 명언 파트1

# 1. 명언 파트1

1) 기회는 자기 소개서를 보내지 않는다.
- 작자 미상

2) 나는 성공의 열쇠는 모른다. 그러나 실패의 열쇠는 모두의 비위를 맞추려 하는 것이다.
- 빌 코스비

3) 지붕은 햇빛이 밝을 때 수리해야 합니다.
- 존 F. 케네디

4) 나는 과거를 생각하지 않습니다. 중요한 것은 끝없는 현재 뿐이지요.
- 윌리엄 서머셋 모옴

5) 무지를 아는 것이 곧 앎의 시작이다.
- 소크라테스

6) 가장 위대한 영광은 한 번도 실패하지 않음이 아니라 실패할 때마다 다시 일어서는 데에 있다.
- 공자

7) 낙관론자는 우리가 최고의 세상에서 살고 있다고 주장하고 비관론자는 그 말이 사실일지도 모른다고 걱정한다.
- 제임스 브랜치 캐벌

8) 두려움은 희망 없이 있을 수 없고 희망은 두려움없이 있을 수 없다.
- 바뤼흐 스피노자

9) 지식이 문제를 발생시킬 수 있다고 해도, 우리가 무지를 통해 그 문제를 해결할 수 있는 것은 아니다.
- 아이작 아시모프

10) 이길 수 있다고 생각하면 이길 수 있다. 승리에는 신념이 필요하다.
- 윌리엄 해즐릿

11) 우리가 노력 없이 얻는 거의 유일한 것은 노년이다.
- 글로리아 피처

12) 성숙하다는 것은 다가오는 모든 생생한 위기를 피하지 않고 마주하는 것을 의미한다.
- 프리츠 쿤켈

13) 시간 엄수는 비즈니스의 영혼이다.
- 토마스 할리버튼

14) 미래를 예측하는 최선의 방법은 미래를 창조하는 것이다.
- 알랜 케이

15) 닫혀있기만 한 책은 블록일 뿐이다.
- 토마스 풀러

16) 읽는 것 만큼 쓰는 것을 통해서도 많이 배운다.
- 액톤 경

17) 게으름은 즐겁지만 괴로운 상태다. 우리는 행복해지기 위해서 무엇인가 하고 있어야 한다.
- 마하트마 간디

18) 우리가 하는 일은 바다에 붓는 한 방울의 물보다 하찮은 것이다. 하지만 그 한 방울이 없다면 바다는 그만큼 줄어들 것이다.
- 마더 테레사

19) 타고난 능력 없이 교육만 받은 이보다, 교육받지 않았으나 타고난 능력이 있는 이가 영예와 미덕을 얻은 경우가 더 흔하다.
- 키케로

20) 범인은 자신보다 뛰어난 사람을 알아보지 못하지만 재능을 가진 사람은 천재를 즉시 알아본다.
- 아서 코난 도일 경

21) 너의 성공이나, 친구의 성공만큼 확실하게 친구에 대한 너의 생각을 바꿔주는 것은 없다.
- 프랭클린 P.존스

22) 사람들이 원하는 모든 것은 자신의 얘기를 들어줄 사람이다.
- 휴 엘리어트

23) 어릴 적 나에겐 정말 많은 꿈이 있었고, 그 꿈의 대부분은 많은 책을 읽을 기회가 많았기에 가능했다고 생각한다.
- 빌 게이츠

24) 어떤 일 하나에 절망하는 이는 겁쟁이다. 하지만 인류의 상태에 대해 희망을 갖는 자는 바보다.
- 알베르 카뮈

25) 일부 과학자들에 따르면 미래는 과거와 똑같을 것이다. 단지 훨씬 값비쌀 뿐이다.
- 존 슬라덱

26) 인간의 삶 전체는 단지 한 순간에 불과하다. 인생을 즐기자.
- 플루타르코스

27) 우연은 항상 강력하다. 항상 낚싯 바늘을 던져두라. 전혀 기대하지 않은 곳에 물고기가 있을 것이다.
- 오비디우스

28) 품질이 물량보다 더 중요합니다. 한 번의 홈런이 두 번의 2루타보다 나아요.
- 스티브 잡스

29) 이 세상에 보장된 것은 아무것도 없으며 오직 기회만 있을 뿐이다.
- 더글라스 맥아더

30) 모든 성공은 더 어려운 문제로 가는 입장권을 사는 것일 뿐이다.
- 헨리 키신저

31) 우리가 이룬 것만큼, 이루지 못한 것도 자랑스럽습니다.
- 스티브 잡스

32) 어떤 재능 혹은 다른 재능으로 뛰어난 사람이 될 수 있도록 노력하라.
- 세네카

33) 우리 시대의 문제는 미래가 예전의 미래와 다르다는 것이다.
- 폴 발레리

34) 많은 긍정적 사고를 가진 기업이 부정적 사고를 가진 기업을 인수해 부자가 됐다.
- 로버트 앨런

35) 절대 허송세월 하지마라. 책을 읽든지, 쓰든지, 기도를 하든지, 명상을 하든지, 또는 공익을 위해 노력하든지, 항상 뭔가를 해라.
- 토마스 아 켐피스

36) 게으름 피울 수 있을 만큼 똑똑하지 못한 것을 포부가 높기 때문이라고 변명할 수 없다.
- 에드가 버겐

37) 사귀는 친구만큼 읽는 책에도 주의하라. 습관과 성격은 전자만큼이나 후자에게서도 영향을 받을 것이기 때문이다.
- 팩스톤 후드

38) 단순히 읽기 시작했다는 이유만으로 결코 책을 끝까지 읽지 말라.
- 존 위더스푼

39) 과거의 사건들은 크게, 십중팔구 아예 일어나지 않았던 일과 중요하지 않은 일로 나눌 수 있을 것이다.
- 윌리엄 랄프 인지

40) 나는 때를 놓쳤고, 그래서 지금은 시간이 나를 낭비하고 있는 거지.
- 윌리엄 셰익스피어

41) 성공의 8할은 일단 출석하는 것이다.
- 우디 알렌

42) 생명은 생명을 낳는다. 에너지는 에너지를 창출한다. 사람이 부자가 되는 것은 자신을 소모시킴에 따라 일어난다.
- 사라 베른하르트

43) 백만 가지 사실을 머릿속에 집어넣고도 여전히 완전히 무지할 수 있다.
- 알렉 본

44) 나는 폭풍이 두렵지 않다. 나의 배로 항해하는 법을 배우고 있으니까.
- 헬렌 켈러

45) 삶은 당신이 잠들지 못할 때 벌어지는 일이다.
- 프란 레보비츠

46) 세상에는 일곱 가지 죄가 있다. 노력 없는 부, 양심 없는 쾌락, 인격 없는 지식, 도덕성 없는 상업, 인성 없는 과학, 희생 없는 기도, 원칙 없는 정치가 그것이다.
- 마하트마 간디

47) 실패가 나태함에 대한 유일한 징벌은 아니다. 다른 이들의 성공도 있지 않은가.
- 쥘 르나르

48) 나는 중요한 일을 이루려 노력할 때 사람들의 말에 너무 신경쓰지 않는 것이 바람직하다는 사실을 깨달았다. 예외 없이 이들은 안된다고 공언한다. 하지만 바로 이 때가 노력할 절호의 시기이다.
- 캘빈 쿨리지

49) 훌륭한 가르침은 1/4이 준비 과정, 3/4은 현장에서 이루어진다.
- 게일 고드윈

50) 할 수 있는 자는 행한다. 할 수 없는 자는 가르친다
- 조지 버나드 쇼

51) 우리는 항상 젊음을 위해 미래를 개발할 수는 없지만, 미래를 위해 우리의 젊음을 개발할 수는 있다.
- 프랭클린 D. 루즈벨트

52) 어디를 가든지 마음을 다해 가라.
- 공자

53) 지금 적극적으로 실행되는 괜찮은 계획이 다음 주의 완벽한 계획보다 낫다.
- 조지 S. 패튼

54) 성실함의 잣대로 스스로를 평가하라, 그리고 관대함의 잣대로 남들을 평가하라.
- 존 미첼 메이슨

55) 책 한 권 읽기를 간절히 바라는 사람과 읽을 만한 책을 기다리다 지친 사람 사이에는 매우 큰 차이가 있다.
- G. K. Chesterton

56) 책은 가장 조용하고 변함 없는 벗이다. 책은 가장 쉽게 다가갈 수 있고 가장 현명한 상담자이자, 가장 인내심 있는 교사이다.
- 찰스 W. 엘리엇

57) 걱정거리를 두고 웃는 법을 배우지 못하면 나이가 들었을 때 웃을 일이 전혀 없을 것이다.
- 에드가 왓슨 하우

58) 위대한 성취를 하려면 행동하는 것뿐만 아니라, 꿈꾸는 것도 반드시 필요하다.
- 아나톨 프랑스

59) 극히 조심한다는 방침이야말로 가장 위험한 것이다.
- 자와할랄 네루

60) 스스로를 존경하면 다른 사람도 당신을 존경할 것이다.
- 공자

61) 많이 보고 많이 겪고 많이 공부하는 것은 배움의 세 기둥이다.
- 벤자민 디즈라엘리

62) 인생에서 가장 위대한 교훈은, 심지어는 바보도 어떨 때는 옳다는 걸 아는 것이다.
- 윈스턴 처칠

63) 이른 아침은 입에 황금을 물고 있다.
- 벤자민 프랭클린

64) 미래의 가장 좋은 점은 한 번에 하루씩 온다는 것이다.
- 에이브러햄 링컨

65) 나만이 내 인생을 바꿀 수 있다. 아무도 날 대신해 해줄 수 없다.
- 캐롤 버넷

66) 노인이 젊은이에게 얘기하듯이 망자도 산자에게 이야기하려고 노력한다면 좋을텐데.
- 윌라 카서

67) 성공은 대개 그를 좇을 겨를도 없이 바쁜 사람에게 온다.
- 헨리 데이비드 소로우

68) 연은 순풍이 아니라 역풍에 가장 높이 난다.
- 윈스턴 처칠

69) 나는 과거를 생각하지 않습니다. 중요한 것은 끝없는 현재 뿐이지요.
- 윌리엄 서머셋 모음

70) 자신은 위험을 무릅쓰고 하지 않을 행동을 충동질 하는 이를 조심하라.
- 호아킨 세탄티

71) 재능이 있거든 가능한 모든 방법으로 사용하라. 쌓아두지 마라. 구두쇠처럼 아껴 쓰지 마라. 파산하려는 백만장자처럼 아낌없이 써라.
- 브렌단 프랜시스

72) 옷을 차려 입는 것은 좋은 아이디어가 없을 때 불가피한 선택이다. 능력없는 사업가가 '정장'으로 유명한 것은 우연이 아니다.
- 폴 그레이 엄

73) 우리는 나이가 들면서 변하는 게 아니다. 보다 자기다워지는 것이다.
- 린 홀

74) 진정한 여행자는 걸어서 다니는 자이며, 걸으면서도 자주 앉는다.
- 콜레트

75) 어려운 직업에서 성공하려면 자신을 굳게 믿어야 한다. 이것이 탁월한 재능을 지닌 사람보다 재능은 평범하지만 강한 투지를 가진 사람이 훨씬 더 성공하는 이유다.
- 소피아 로렌

76) 학생이 되기를 멈춘 자는 한 번도 학생인 적이 없었던 자이다.
- 조르지오 일리스

77) 승리의 순간은 오로지 그 순간만을 위해 살기에는 너무 짧다.
- 마르티나 나브라틸로바

78) 성공한 사람이 될 수 있는데 왜 평범한 이에 머무르려 하는가?
- 베르톨트 브레히트

79) A가 인생의 성공이라면 A=x+y+z다. x는 일, y는 놀이, z는 입을 다물고 있는 것이다.
- 알버트 아인슈타인

80) 실패하는 것은 곧 성공으로 한 발짝 더 나아가는 것이다.
- 메리 케이 애쉬

81) 젊음은 알지 못한 것을 탄식하고 나이는 하지 못한 것을 탄식한다.
- 앙리 에스티엔

82) 여행은 되돌아 보았을 때에만 매력적이다.
- 폴 서룩스

83) 무력은 모든 것을 정복하지만, 그 승리는 오래가지 못한다.
- 에이브러햄 링컨

84) 모든것을 관찰하세요. 소통을 잘 하세요. 그림을 그리고, 그리고 , 또 그리세요.
- 프랭크 토마스

85) 올바른 원칙을 알기만 하는 자는 그것을 사랑하는 자와 같지 않다.
- 공자

86) 모든 성공은 더 어려운 문제로 가는 입장권을 사는 것일 뿐이다.
- 헨리 키신저

87) 품질이 물량보다 더 중요합니다. 한 번의 홈런이 두 번의 2루타보다 나아요.
- 스티브 잡스

88) 명확히 설정된 목표가 없으면, 우리는 사소한 일상을 충실히 살다 결국 그 일상의 노예가 되고 만다.
- 로버트 하인라인

89) 나에게 말하라... 그러면 나는 잊을 것이요, 나를 가르치라... 그러면 나는 배울 것이요, 나를 열중시키라... 그러면 나는 기억할 것이다.
- 벤자민 프랭클린

90) 나는 결국 실패할 대의를 추구하여 승리하기보다는 결국 승리할 대의를 따르다 실패하겠다.
- 우드로 윌슨

91) 나는 넘지도 못할 7피트 장대를 넘으려고 애쓰지 않는다. 나는 내가 쉽게 넘을 수 있는 1피트 장대를 주위에서 찾아본다.
- 워런 버핏

92) 감사는 마음에서 우러나는 것이라 과거의 자비를 깨닫기까지 시간이 걸린다.
- 찰스 E. 제퍼슨

93) 타인을 이렇게도 좋게 생각하는 이유는 자신의 미래가 두렵기 때문이다. 긍정적 사고의 기저에는 끔찍한 공포가 있다.
- 오스카 와일드

94) 한 푼 아낀 것은 한 푼 번 것이나 마찬가지다.
- 벤자민 프랭클린

95) 천재성이란 그것의 소유자들을 온갖 곤경에 처하게 만드는 최상의 능력이라고 묘사할 수 있을 것이다.
- 사무엘 버틀러

96) 지식인이라면 적을 사랑할 수 있을 뿐 아니라 친구를 미워할 수도 있어야한다.
- 프레드리히 니체

97) 만약 당신이 한번도 두렵거나 굴욕적이거나 상처입은 적이 없다면, 그렇다면 당신은 아무런 위험도 감수하지 않은 것이다.
- 줄리아 소렐

98) 자신이 어떻게 변해왔는지 알려면 변하지 않은 곳으로 돌아가는 것보다 더 좋은 방법은 없다.
- 넬슨 만델라

99) 이 인생에서는 마지막에 웃는 자가 가장 오래 웃는 자다.
- 존 메이스필드

100) 부당하게 잊혀지는 책은 있어도 과분하게 기억되는 책은 없다.
- 오든

## 쉬어가는 페이지1(유머)

1. 아들이 날마다 학교도 빼먹고

놀러만 다니는 망나니짓을 하자 하루는

아버지가 아들을 불러놓고 무섭게 꾸짖으며 말했다.

“에이브러햄 링컨이 네 나이였을 때 뭘 했는지 아니?.”

아들이 너무도 태연히 대답했다.

“몰라요.”

그러자 아버지는 훈계하듯 말했다.

“집에서 쉴 틈 없이 공부하고 연구했단다.』

그러자 아들이 대구했다.

“아, 그 사람 나도 알아요. 아버지 나이였을 땐

대통령이었잖아요?”

## 쉬어가는 페이지1(유머)

2. 떡국이 엄청나게 위험한 식품이라는

새로운 사실이 드러났습니다.

떡국은 각종 성인병과 더불어

암, 골다공증, 치매, 탈모, 노인병 등을

유발하는 것으로 드러나 공포에 휩싸이고 있다고 합니다.

헉.......

국내외 연구진들의 보고에 의하면

그 주요원인은

떡국을 먹게 되면

사람이

나이를 먹게 되기 때문이라고 .....합니다.

# 2. 명언 파트2

인생이 끝날까 두려워하지마라. 당신의 인생이 시작조차 하지 않을 수 있음을 두려워하라. - 그레이스 한센

# 2. 명언 파트2

101) 꿈을 기록하는 것이 나의 목표였던 적은 없다. 꿈을 실현하는 것이 나의 목표이다.
- 만 레이

102) 희망만을 먹고 사는 자는 굶어 죽을 것이다.
- 벤자민 프랭클린

103) 신간은 대개 1년이면 잊혀지는데 특히 책을 빌리는 사람들에게서 잊혀진다.
- 에반 에사르

104) 긴 하루 끝에 좋은 책이 기다리고 있다는 생각만으로 그날은 더 행복해진다.
- 캐슬린 노리스

105) 평화는 전쟁의 위험으로부터 자유로운 고유의 영예와 영광을 가지지 않던가?
- 시라쿠사의 헤르모크라테스

106) 사람들이 흥미를 가지는가는 중요하지 않다. 중요한 건 허공에 대고 당신의 이야기를 소리치는 것이다.
- 자델르 코르도바

107) 잘못된 열정을 통제하는 것보다는 배제하는 것이, 잘못된 열정에 휩싸인 후에 마음을 다잡는 것보다는 휩싸이지 않도록 하는 것이 더 쉽다.
- 세네카

108) 혁명은 다 익어 저절로 떨어지는 사과가 아니다. 떨어뜨려야 하는 것이다.
- 체 게바라

109) 돈이 없는 사람은 가난하다. 돈 밖에 없는 사람은 더 가난하다.
- 작자 미상

110) 유머는 고무로 만들어진 칼이다. 즉, 유머는 당신이 피를 보지 않고도 주장을 밝힐 수 있게 해준다.
- 매리 허쉬

111) 일을 즐기면 일의 완성도가 높아진다.
- 아리스토텔레스

112) 저렇게 작은 촛불이 어쩌면 이렇게 멀리까지 비쳐 올까! 험악한 세상에선 착한 행동도 꼭 저렇게 빛날 거야.
- 윌리엄 셰익스피어

113) 모든 동물이 평등하다. 그러나 어떤 동물은 다른 동물보다 더 평등하다.
- 조지 오웰

114) 용기있는 자로 살아라. 운이 따라주지 않는다면 용기 있는 가슴으로 불행에 맞서라.
- 키케로

115) 매월 말 조금씩 저금을 해 보면, 연말에 가 얼마나 적은 금액이 모였는지 알고 놀라게 될 것이다.
- 어니스트 해스킨스

116) 받은 상처는 모래에 기록하고 받은 은혜는 대리석에 새기라.
- 벤자민 프랭클린

117) 일하는 자는 행복한 자요, 한가한 자는 불행한 자다.
- 벤자민 프랭클린

118) 돈이 있으면 하기 싫어하는 일로부터 해방되지. 나는 거의 모든 일을 하기 싫어하니까, 돈은 유용한 거야.
- 그루초 마르크스

119) 가장 큰 실수는 능력 이상으로 친절하려 노력하는 것이다.
- 월터 배젓

120) 잘 먹는 기술은 결코 하찮은 기술이 아니며, 그로 인한 기쁨은 작은 기쁨이 아니다.
- 미셸 드 몽테뉴

121) 자신의 능력을 감추지 마라. 재능은 쓰라고 주어진 것이다. 그늘 속의 해시계가 무슨 소용이랴.
- 벤자민 프랭클린

122) 결승선에 대한 어떤 정해진 생각이 있었다면 내가 그 결승선을 이미 몇 년전에 넘었을 거라고 생각하지 않으세요?
- 빌 게이츠

123) 하루의 노동과 우리를 둘러싼 안개를 비추는 것으로부터 행복을 찾아라.
- 앙이 마티스

124) 명예를 잃는다면 무엇이 남는가?
- 퍼블릴리어스 사이러스

125) 여론조사로 심사숙고를 대신할 수는 없다.
- 워런 버핏

126) 우리의 몸은 정원이요, 우리의 의지는 정원사다.
- 윌리엄 셰익스피어

127) 지붕은 햇빛이 밝을 때 수리해야 합니다.
- 존 F.케네디

128) 솔직한 의견 차이는 대개 발전의 좋은 신호다.
- 마하트마 간디

129) 한 문장이라도 매일 조금씩 읽기로 결심하라. 하루 15분씩 시간을 내면 연말에는 변화가 느껴질 것이다.
- 호러스 맨

130) 우리는 가지고 있는 15가지 재능으로 칭찬받으려 하기보다, 가지지도 않은 한가지 재능으로 돋보이려 안달한다.
- 마크 트웨인

131) 좋은 집이란 사는 것이 아니라 만들어지는 것이어야 한다.
- 조이스 메이나드

132) 자신의 실수를 비웃으면 삶이 길어질 것이요, 남의 실수를 비웃으면 삶이 단축될 것이다.
- 컬린 하이타워

133) 세상은 그들이 생각하는 만족스러운 미래가 사실은 이상화된 과거로의 회귀인 사람들로 가득하다.
- 로버트슨 데이비스

134) 세상에는 빵 한 조각 때문에 죽어가는 사람도 많지만, 작은 사랑도 받지 못해서 죽어가는 사람은 더 많다.
- 마더 테레사

135) 침묵은 그 어떤 노래보다 더 음악적이다.
- 펄 벅

136) 생선과 손님은 3일이 지나면 냄새를 풍긴다.
- 벤자민 프랭클린

137) 나는 연습에서든 실전에서든 이기기 위해 농구를 한다. 그 어떤 것도 승리를 향한 나의 경쟁적 열정에 방해가 되도록 하지 않을 것이다.
- 마이클 조던

138) 모든 행복과 불행은 오로지 우리가 애정을 느끼는 사물의 질로부터 비롯된다.
- 바뤼흐 스피노자

139) 언제까지나 제자로서만 머물러 있음은 스승에 대한 좋은 보답이 아니다.
- 프레드리히 니체

140) 수치스러운 집안의 비밀을 없앨 수 없다면, 차라리 그것을 활용하는 편이 낫다.
- 조지 버나드 쇼

141) 물리학을 믿는 나와 같은 사람들은 과거, 현재, 미래의 구별이란 단지 고질적인 환상일 뿐이란 사실을 알고 있다.
- 알버트 아인슈타인

142) 시간은 만물을 스러지게 한다. 만물은 시간의 힘 아래 서서히 나이들고 시간이 흐르면서 잊혀진다.
- 아리스토텔레스

143) 바쁜 벌은 슬퍼할 시간이 없다.
- 윌리엄 블레이크

144) 언제까지나 제자로서만 머물러 있음은 스승에 대한 좋은 보답이 아니다.
- 프레드리히 니체

145) 여가시간을 가지려면 시간을 잘 써라.
- 벤자민 프랭클린

146) 아이들만이 자신이 무엇을 원하는지 안다.
- 생떽쥐페리

147) 청년기의 자존심은 혈기와 아름다움에 있지만, 노년기의 자존심은 분별력에 있다.
- 데모크리토스

148) 당신의 적을 주시하라. 그들은 항상 당신의 실수를 먼저 찾아낸다.
- 안티스테네스

149) 침묵은 어리석은 자들의 미덕이다.
- 프랜시스 베이컨

150) 열망은 모든 것을 꽃피게 하지만 소유는 모든 것을 시들고 스러지게 한다.
- 마르셀 프루스트

151) 오늘 누군가가 그늘에 앉아 쉴 수 있는 이유는 오래 전에 누군가가 나무를 심었기 때문이다.
- 워런 버핏

152) 실패하는 것은 곧 성공으로 한 발짝 더 나아가는 것이다.
- 메리 케이 애쉬

153) 적의 침략은 저항할 수 있지만, 그 시대가 도래한 사상에는 저항할 수 없다.
- 빅터 위고

154) 어떤 것들은 믿어야 볼 수 있다.
- 랄프 호지슨

155) 약간의 광기도 없는 위대한 천재란 있을 수 없다.
- 아리스토텔레스

156) 진실된 희망은 빠르고, 제비 날개를 타고 날아간다오. 희망은 왕을 신으로, 왕보다 못한 피조물들은 왕으로 만든다오.
- 윌리엄 셰익스피어

157) 우리가 이룬 것만큼, 이루지 못한 것도 자랑스럽습니다.
- 스티브 잡스

158) 음악으로도 누그러지지 않는 감정이라면 극도의 공포나 슬픔 빼고는 없다.
- 조지 앨리엇

159) 나는 성공의 열쇠는 모른다. 그러나 실패의 열쇠는 모두의 비위를 맞추려 하는 것이다.
- 빌 코스비

160) 옷을 차려 입는 것은 좋은 아이디어가 없을 때 불가피한 선택이다. 능력없는 사업가가 '정장'으로 유명한 것은 우연이 아니다.
- 폴 그레이엄

161) 다이아몬드를 찾는 사람이 진흙과 수렁에서 분투해야하는 이유는 이미 다듬어진 돌 속에서는 찾을 수 없기 때문이다. 다이아몬드는 만들어지는 것이다.
- 헨리 B. 윌슨

162) 이미 끝난 일을 말하여 무엇하며 이미 지나간 일을 비난하여 무엇하리.
- 공자

163) 스스로의 실수를 발견하고 기뻐할 수 없는 자는 학자라 불릴 자격이 없다.
- 도널드 포스터

164) 작은 성실함은 위험한 것이며, 과도한 성실함은 치명적이리만큼 위험하다
- 오스카 와일드

165) 준비 여부에 관계 없이, 열망을 실현하기 위한 명확한 계획을 세우고 즉시 착수하여 그 계획을 실행에 옮겨라.
- 나폴레온 힐

166) 무례함이란 약자가 강한 척하는 것이다.
- 에릭 호퍼

167) 우리가 이룬 것만큼, 이루지 못한 것도 자랑스럽습니다.
- 스티브 잡스

168) 서서히 사라지기보다 한 번에 타버리는 것이 낫다.
- 커트 코베인

169) 평화로 가는 길은 없다. 평화가 길이다.
- 마하트마 간디

170) 이 세상에 위대한 사람은 없다. 단지 평범한 사람들이 일어나 맞서는 위대한 도전이 있을 뿐이다.
- 윌리엄 프레데릭 홀시

171) 인생은 3막이 고약하게 쓰여진 조금 괜찮은 연극이다.
- 트루먼 카포트

172) 가는 곳마다 나보다 한 발 먼저 다녀간 시인이 있음을 발견한다.
- 지그문트 프로이트

173) 자신은 위험을 무릅쓰고 하지 않을 행동을 충동질 하는 이를 조심하라.
- 호아킨 세탄티

174) 여러분이 할 수 있는 가장 큰 모험은 바로 여러분이 꿈꿔오던 삶을 사는 것입니다.
- 오프라 윈프리

175) 우리를 조금 크게 만드는데 걸리는 시간은 단 하루면 충분하다.
- 파울 클레

176) 꿈을 기록하는 것이 나의 목표였던 적은 없다. 꿈을 실현하는 것이 나의 목표이다.
- 만 레이

177) 인간의 심장에서 희망을 빼앗아라. 그럼 그는 먹이를 찾는 야수가 될 것이다.
- 퀴다

178) 달력은 열정적인 이들이 아니라, 신중한 이들을 위한 것이다.
- 척 사이거스

179) 관찰하는데 있어서는 준비된 자에게만 기회가 온다.
- 루이 파스퇴르

180) 실수는 발견의 시작이다.
- 제임스 조이스

181) 가장 적은 것으로도 만족하는 사람이 가장 부유한 사람이다.
- 소크라테스

182) 부는 많은 걱정거리를 해결해 준다.
- 메난드로스

183) 작별 인사에 낙담하지 말라. 재회에 앞서 작별은 필요하다. 그리고 친구라면 잠시 혹은 오랜 뒤라도 꼭 재회하게 될 터이니.
- 리처드 바크

184) 무엇을 비웃는가보다 한 인간의 성격을 더 잘 보여주는 것은 없다.
- 요한 볼프강 폰 괴테

185) 사람들이 대게 기회를 놓치는 이유는 기회가 작업복 차림의 일꾼 같아 일로 보이기 때문이다.
- 토마스 A. 에디슨

186) 낮에 꿈꾸는 사람은 밤에만 꿈꾸는 사람에게는 찾아오지 않는 많은 것을 알고 있다.
- 에드거 앨런 포

187) 뛰어난 걸 원하면 오늘 당장 이룰 수 있다. 지금 당장 뛰어나지 못한 일을 그만둬라.
- 토마스J. 왓슨

188) 실수하며 보낸 인생은 아무 것도 하지 않고 보낸 인생보다 훨씬 존경스러울 뿐 아니라 훨씬 더 유용하다.
- 조지 버나드 쇼

189) 희망은 볼 수 없는 것을 보고, 만져질 수 없는 것을 느끼고, 불가능한 것을 이룬다.
- 헬렌 켈러

190) 침묵은 오해하기 쉬운 글과 같다.
- 알프레드 안젤로 아타나시오

191) 목적없는 공부는 기억에 해가 될 뿐이며, 머리속에 들어온 어떤 것도 간직하지 못한다.
- 레오나르도 다빈치

192) 진실은 안전하게 딛고 설 수 있는 유일한 토대이다.
- 엘리자베스 스탠턴

193) 말만 하고 행동하지 않는 사람은 잡초로 가득 찬 정원과 같다.
- 하우얼

194) 그 어떤 것에서라도 내적인 도움과 위안을 찾을 수 있다면 그것을 잡아라.
- 마하트마 간디

195) 당신이 허락해주지 않으면 아무도 당신이 열등감을 느끼게 만들 수 없다.
- 엘리너 루즈벨트

196) 내가 강해질 용기를 낼 때, 내 힘을 내 비전을 위해 사용할 때 내가 두려워하는지 여부는점점덜 중요해진다.
- 오드리 로드

197) 인생은 밀림 속의 동물원이다.
- 피터 드 브리스

198) 운은 계획에서 비롯된다.
- 브랜치 리키

199) 지속적인 긍정적 사고는 능력을 배가시킨다.
- 콜린 파월

200) 잘 있거라! 우리가 언제 다시 만날지는 아무도 모른다.
- 윌리엄 셰익스피어

## 쉬어가는 페이지2(유머)

1. 도서관 열람실에 책상 한 자리를 맡아 공부하노라

면 종종 친구나 선·후배들이 찾아 올 때가 있다.

어느 날은 강의 들으러 도서관 열람실을 나가기 전

열람실 책상 위 메모지에

'지금 강의 들으러 갑니다.

저에게 용건이 있으신 분은 메모(memo)남겨주세요!
'라고

적어놓고 강의실로 이동했다.

강의가 끝나고 도서관 열람실로 돌아와 책상 위를 보
았다.

그런데...메모지에 이렇게 답글이 적혀 있었다.

'memo' 라고....

## 쉬어가는 페이지2(유머)

2. 자동차 사고로 죽은 세 친구가

천당 어귀에서 질문을 받았다.

신: 식구들이 그대의 죽음을 슬퍼할 때
어떤 소리가 가장 듣고 싶었는가?

친구1: 내가 훌륭한 의사였고 훌륭한 가장이었다는
소리가 가장 듣고 싶었습니다.

친구2: 훌륭한 남편이자 훌륭한 교사였다는
소리가 듣고 싶었습니다.

친구3: 그들의 입에서 "이봐, 이 사람 움직이고 있잖아!"
라는 소리가 나와 줬으면 했습니다.

# 3. 명언 파트3

경험을 현명하게 사용한다면, 어떤 일도 시간 낭비는 아니다. - 오귀스트 르네 로댕

## 3. 명언 파트3

201) 인생의 절반은 우리가 서둘러 아끼려던 시간과 관계된 무엇인가를 찾는데 쓰인다.
- 윌 로저스

202) 희망은 어떤 상황에서도 필요하다.
- 사무엘 존슨

203) 당신이 할 수 없는 일이 할 수 있는 일에 지장을 주게 하지 마라.
- 존 R. 우든

204) 나는 성공의 열쇠는 모른다. 그러나 실패의 열쇠는 모두의 비위를 맞추려 하는 것이다.
- 빌 코스비

205) 여가시간을 가지려면 시간을 잘 써라.
- 벤자민 프랭클린

206) 리더십의 기능은 지도자를 더 많이 만드는 것이지 추종자를 더 많이 만드는 게 아니다.
- 랄프 네이더

207) 성경은 게으름뱅이에게 빵을 약속하지 않는다.
- 작자 미상

208) 옥은 갈지 않으면 그릇을 만들 수 없고, 사람은 배우지 않으면 도를 모른다.
- 율곡 이이

209) 덜 약속하고 더 해주어라.
- 톰 피터스

210) 우리의 목적은 성공이 아니라 봉사라야 한다.
- 작자 미상

211) 멀리있는 친구만큼 세상을 넓어 보이게 하는 것은 없다. 그들은 위도와 경도가 된다.
- 헨리 데이비드 소로우

212) 떠났네 훨훨 / 밤에게서 별을 / 낮에게서 해를 가져갔네 / 떠났네, 이제 내 마음에는 구름만이 남았네.
- 알프레드 테니슨

213) 나는 중요한 일을 이루려 노력할 때 사람들의 말에 너무 신경쓰지 않는 것이 바람직하다는 사실을 깨달았다. 예외 없이 이들은 안된다고 공언한다. 하지만 바로 이 때가 노력할 절호의 시기이다.
- 캘빈 쿨리지

214) 인생이란 진지하게 이야기하기에는 너무나 중요한 것이다.
- 오스카 와일드

215) 시간은 너무 없고 할 일도 너무 없다.
- 오스카 레반트

216) 그 어떤 것에서라도 내적인 도움과 위안을 찾을 수 있다면 그것을 잡아라.
- 마하트마 간디

217) 희망차게 여행하는 것이 목적지에 도착하는 것보다 좋다.
- 로버트 루이스 스티븐슨

218) 나만이 내 인생을 바꿀 수 있다. 아무도 날 대신해 해줄 수 없다.
- 캐롤 버넷

219) 소인배는 불운에 길들여지고 눌린다. 그러나 위대한 사람들은 불운 위로 올라선다.
- 워싱턴 어빙

220) 젊은이들에게 관대하라.
- 유베날리스

221) 인간은 오직 사고(思考)의 산물일 뿐이다. 생각하는 대로 되는 법.
- 마하트마 간디

222) 결국 모든 것은 우스개다.
- 찰리 채플린

223) 경험을 현명하게 사용한다면, 어떤 일도 시간 낭비는 아니다.
- 오귀스트 르네 로댕

224) 시간은 환상이다. 점심시간은 두 배로 그렇다.
- 더글러스 애덤스

225) 상황을 가장 잘 활용하는 사람이 가장 좋은 상황을 맞는다.
- 존 우든

226) 자신이 될 수 있는 존재가 되길 희망하는 것이 삶의 목적이다.
- 신시아 오지크

227) 인생은 집을 향한 여행이다.
- 허먼 멜빌

228) 삶이 있는 한 희망은 있다.
- 키케로

229) 낭비한 시간에 대한 후회는 더 큰 시간 낭비이다.
- 메이슨 쿨리

230) 성공만큼 큰 실패는 없다.
- 제럴드 내크먼

231) 수정을 용납하지 않는 계획은 나쁜 계획이다.
- 퍼블릴리어스 사이러스

232) 나는 성공의 열쇠는 모른다. 그러나 실패의 열쇠는 모두의 비위를 맞추려 하는 것이다.
- 빌 코스비

233) 과거를 기억 못하는 이들은 과거를 반복하기 마련이다.
- 조지 산타야나

234) 우리에게는 존재하지 않는 것들을 꿈꿀 수 있는 사람들이 필요하다.
- 존 F. 케네디

235) 침묵한 것에 대해선 한 번쯤 후회할 수 있지만, 자신이 말한 것에 대해서는 자주 후회할 것이다.
- 이안 가비롤

236) 흠집 없는 조약돌보다는 흠집 있는 다이아몬드가 낫다.
- 공자

237) 달력은 열정적인 이들이 아니라, 신중한 이들을 위한 것이다.
- 척 사이거스

238) 명확히 설정된 목표가 없으면, 우리는 사소한 일상을 충실히 살다 결국 그 일상의 노예가 되고 만다.
- 로버트 하인라인

239) 읽는 것 만큼 쓰는 것을 통해서도 많이 배운다.
- 액톤 경

240) 신간은 대개 1년이면 잊혀지는데 특히 책을 빌리는 사람들에게서 잊혀진다.
- 에반 에사르

241) 젊음은 알지 못한 것을 탄식하고 나이는 하지 못한 것을 탄식한다.
- 앙리 에스티엔

242) 인간은 인생의 방향을 결정할 규칙을 가지고 있어야 한다.
- 존 웨인

243) 낮에 꿈꾸는 사람은 밤에만 꿈꾸는 사람에게는 찾아오지 않는 많은 것을 알고 있다.
- 에드거 앨런 포

244) 어릴 적 나에겐 정말 많은 꿈이 있었고, 그 꿈의 대부분은 많은 책을 읽을 기회가 많았기에 가능했다고 생각한다.
- 빌 게이츠

245) 한 권의 책은 세계에 대한 하나의 버전이다. 그 버전이 마음에 들지 않으면 무시하든지 답례로 자신만의 버전을 제공하라.
- 살만 루시디

246) 진지한 사람이라면 도덕성을 수양하기 위해 필요한 노력의 상당 부분이 바로 자신의 과거와 현재 행동으로 야기된 불쾌한 결과를 인정할 수 있는 용기라는 점을 안다.
- 존 듀이

247) 언제나 현재에 집중할 수 있다면 행복할 것이다.
- 파울로 코엘료

248) 탁월한 능력은 새로운 과제를 만날 때마다 스스로 발전하고 드러낸다.
- 발타사르 그라시안

249) 자유와 정의 다음으로 중요한 것은 대중 교육인데, 대중 교육 없이는 자유도 정의도 영원히 유지될 수 없다.
- 제임스 A. 가필드

250) 배움이 없는 자유는 언제나 위험하며 자유가 없는 배움은 언제나 헛된 일입니다.
- 존 F. 케네디

251) 누구나 오래 살기를 바란다. 그러나 누구를 막론하고 나이는 먹기 싫어한다.
- 스위프트

252) ‘젊게 보입니다.’ 하는 말은 늙었다는 증거이다.
- 어빙

253) 40세가 지난 인간은 자신의 얼굴에 책임을 져야 한다.
- 링컨

254) 내 비장의 무기는 아직 손 안에 있다. 그것은 희망이다.
- 나폴레옹

255) 행복하기 위해서는 두 가지 길이 있다. 욕망을 줄이든가, 가지고 싶은 것을 더 가지면 된다. 그 어느 편도 좋다.
- 프랭클린

256) 대문자만으로 인쇄된 책은 읽기 어렵다. 일요일뿐인 인생도 마찬가지다.
- 장 파울

257) 역경은 사람을 부유하게 하지는 않으나 지혜롭게 한다.
- 풀러

258) 눈물을 흘리면서 빵을 먹어보지 못한 사람은 인생의 참맛을 알 수 없다.
- 괴테

259) 인간의 역사에는 행복한 철학자가 있었다는 기록은 남아 있지 않다.
- 멘켄

260) 격렬한 말은 이유가 박약하다는 것을 증명하고 있는 것이다.
- 위고

261) 어떤 일이건 60분을 계속 생각하면
결국 도달하는 것은 혼란과 불행이다.
- 제임즈 사버

262) 모든 사람들을 좋게 말하는 인간은 신뢰하지 말라.
- 코린즈

263) 재능과 천재와의 차이는 석공과 조각가와의 차이와 같다.

264) 화가 날 때 웃을 수 있는 사람은 조심하라.
- 서양 속담

265) 위인은 독수리와 같다. 그러므로 그의 둥지를
높고 고독한 곳에 만든다.
- 셰익스피어

266) 우리가 태어나는 방법은 단 한 가지,
그러나 죽음의 방법에는 여러 가지가 있다.
- 유고슬라비아 속담

267) 한 명의 죽음은 비극이요, 백만 명의
죽음은 통계이다.
- 스탈린

268) 개미처럼 멋진 설교를 하는 것은 없다.
그러면서도 한마디도 말을 하지 않는다.
- 프랭클린

269) 도박을 즐기는 모든 인간은, 불확실한
것을 얻기 위해서 확실한 것을 걸고 내기를
한다.
- 파스칼

270) 여행은 사람의 마음을 관대하게 한다.
- 디즈레일리

271) 의문이 많으면 많이 나아가고 의문이 적으면 적게 나아간다.
그리고 아무 의문도 없으면 전혀 나아가지 못한다.
- 주희

272) 단지 도착하기 위한 여행이 불쌍한 여행이라면 책의 결론만을 알고자 할 때 그것이 바로 가련한 독서이다.
- 콜튼

273) 일단 문학의 가려움병이 사람에게 생기면, 펜으로 긁어주는 것 이외에는 치료할 수 있는 것이 없다.
- 러버

274) 먼저 가장 좋은 책을 읽어라. 그렇지 않으면 전혀 그것을 읽을 기회가 없을지도 모를 테니.
- 솔로

275) 쓰여진 모든 것 중에서 나는 오직 저자가 그의 피로 쓴 것만을 사랑한다.
- 니체

276) 바보는 방황하고, 현명한 사람은 여행한다.
- 풀러

277) 예술을 위한 예술도 아름답지만 발전을 위한 예술은
더욱 가치가 있다.
- 위고

278) 자기 자신을 위해서는 박하게 대하는 것을 검소하다고 하며,
남에게 봉사하는 것이 박한 사람을 인색하다고 한다.
- 가이바라 에켄

279) 사용되는 열쇠는 항상 빛난다.
- 프랭클린

280) 의심스러운 사람은 쓰지 말고, 사람을 썼거든 의심하지 말라.
- 명심보감

281) 짖지 않는 개와 잔잔한 물을 조심하라.
- 라틴 격언

282) 나의 성공은 나의 근면함에 있었다. 나는 평생 동안 단 한 조각의 빵도 결코 앉아서 먹지 않았다.
- 웹스터

283) 가장 향기로운 향수는 언제나 가장 작은 병에 담겨 있다.
- 드라이든

284) 일이 즐거우면 인생은 낙원이다.
일이 의무에 불과하면 인생은 지옥이다.
- 고리키

285) 잔잔한 바다는 결코 유능한 항해사를 만든 적이 없다.

286) 바쁜 사람은 눈물을 흘릴 시간이 없다.
- 바이런

287) 성공을 뽐내는 것은 위험하다.
그러나 실패에 함구하는 것은 더 위험하다.
- 케네

288) 운명은 용기 있는 자 앞에 약하고 비겁한 자 앞에는 강하다.

289) 근심 걱정을 치료하는 데는 위스키보다 일이 낫다.
- 에디슨

290) 세상에서 가장 용감한 광경은 불리한 여건과 싸우는 사람이다.
- 레인

291) 나이가 성숙을 보장하지는 않는다.
- 라와나 블랙웰

292) 내가 논쟁을 싫어하는 이유는 항상 토론을 방해하기 때문이다.
- G.K.체스터튼

293) 지나침은 모자람만 못하다.
- 공자

294) 비밀은 셋 중 둘이 죽었을 때만 지킬 수 있다.
- 벤자민 프랭클린

295) 자식 키우기란 자녀에게 삶의 기술을 가르치는 것이다.
- 일레인 헤프너

296) 침묵은 그 어떤 노래보다 더 음악적이다.
- 펄 벅

297) 나는 평생 하루라도 일을 하지 않았다. 그것은 모두 재미있는 놀이였다.
- 토마스 A. 에디슨

298) 죄의식을 동반한 즐거움이 가져다주는 기쁨은 짧다.
- 에우리피데스

299) 읽다 죽어도 멋져 보일 책을 항상 읽어라.
- P. J. 오루크

300) 한 문장이라도 매일 조금씩 읽기로 결심하라.
하루 15분씩 시간을 내면 연말에는 많은 변화가 느껴질 것이다.
- 호러스 맨

꿈을 기록하는 것이 나의 목표였던 적은 없다. 꿈을 실현하는 것이 나의 목표이다. - 만 레이

# 부 록

# 부록1: 명언 실천서

## 명언 실천서

1.

2.

3.

4.

5.

## 명언 실천서

1.

2.

3.

4.

5.

## 명언 실천서

1.

2.

3.

4.

5.

## 명언 실천서

1.

2.

3.

4.

5.

# 부록2: 메모장

MEMO

MEMO

MEMO

MEMO

## [맺음말]

명언들을 잘 활용하여 여러분들의 인생이 이전보다 더욱 빛이 난다면 저자로서 더 할 나위 없이 행복할 것이다. 건투를 빈다.

# 작가 소개 및 출판 예정 도서

[작가 권민석]

전직 공무원 출신으로 공무원 강사로 활동 중이다. 공무원 수험서, 자기계발서, 부동산, 경제, 스포츠, 유머, 잡학 등 다양한 분야의 서적을 집필하고 있다.

[출판 예정 도서]

1. 틈틈이 읽는 잡학사전
2. 부동산의 현재와 미래
3. 행정학 정복 로드맵